THIS BOOK IS PROPERTY OF

$\mathcal{W}$ESTHOLME SCHOOL
Blackburn

It is Loaned to the Pupil named below

NAME	DATE
Charlotte Cure	19 . 4 . 10

Tsunami Systems

A NEW WAVE OF IDEAS
UNA NUEVA OLA DE IDEAS

LEARN 101 VERBS IN 1 DAY

APRENDE EN 1 DÍA 101 VERBOS

RORY RYDER
Francisco Garnica

Tsunami Systems

Published by
Tsunami Systems, S.L.
Pje Mallofre, 3 Bajos, Sarriá, Barcelona, Spain
www.learnverbs.com

First Edition Tsunami Systems S.L. 2004
First reprint Tsunami Systems S.L. 2005
Copyright © Rory Ryder 2004
Copyright © Illustrations Rory Ryder 2004
Copyright © Coloured verb tables Rory Ryder 2004

The Author asserts the moral right to be identified as the author of this work under the copyright
designs and patents Act 1988.

English Version
ISBN 84-609-4537-5

Illustrated by Francisco Garnica
Photoshop specialist by Olivia Branco, olivia_branco@yahoo.es

Printed and bound by IGOL S.A.

San Gabriel, 50, 08950, Esplugues de Llobregat, Spain

Editorial
Tsunami Systems, S.L.
Pje Mallofre, 3 Bajos, Sarriá, Barcelona, Spain
www.learnverbs.com

Primera Edition Tsunami Systems S.L. 2004
© Rory Ryder 2004
© Ilustraciones, Rory Ryder 2004
© Tablas de color de los verbos, Rory Ryder 2004

Versión Español
ISBN 84-609-5463-3

Ilustraciones - Francisco Garnica

Printed and bound IGOL S.A.

San Gabriel, 50, 08950, Esplugues de Llobregat, Spain

Tsunami Systems

A NEW WAVE OF IDEAS
UNA NUEVA OLA DE IDEAS

Tsunami Systems was founded in 2003 in Barcelona, one of the world's most dynamic cities. Our company has quickly established itself internationally as a leader in innovative approaches to language learning. The `Learn 101 Verbs in 1 Day´ series, with its `unique interactive pronunciation website´ is a clear example of Tsunami Systems' philosophy. Our books are radically different from all other verb books as they encourage independent learning, whilst injecting fun and humour into the process.

Barcelona, una de las ciudades más cosmopolitas del mundo, vio nacer Tsunami Systems en el año 2003.A pesar de su corta vida, esta editorial se ha convertido en líder internacional gracias a su innovador método de aprendizaje de lenguas. La serie *Aprende 101 verbos en 1 día* y la página web de Pronunciación Interactiva que le acompaña son, sin duda, una clara muestra de la filosofía de Tsunami Systems: podrá aprender a su ritmo y con total autonomía las formas verbales y su pronunciación.'

to Barcelona

a Barcelona

Reviews

Testimonials from Heads of M.F.L. & Teachers using the books with their classes around the U.K.

Sue Tricio -Thurrock & Basildon College – *"This book is easy to refer to and very good for learning the raw forms of the verbs and the pictures are a great help for triggering the memory. The way the story comes together is quite amazing and students found the colour-coded verb tables extremely useful, allowing the eye to go straight to the tense they are working on. Students have found the speaking pronunciation on your website very useful and I would say that when it is used correctly this book is idiot-proof."*

Suzi Turner – Hulme Hall Grammar School – *"An invaluable and motivational learning tool which is bright and focused and easy for pupils to relate to. I think it's an extremely clever idea and I wish I'd thought of it myself - and got it published! Both the pupils & myself loved using it."*

Mrs. K. Merino – Head of Spanish – North London Collegiate School – *"My students really enjoy the pictures because they are intriguing and amusing and they thought the verb tables were excellent for revising for their GCSE Spanish exams."*

Maggie Bowen – Head of Year 11 – Priory Community School -*"An innovative & motivating book that fires the imagination, turning grammar into a non-frightening & enlightening element of learning a language. A much awaited medium that helps to accelerate student's learning & achievement."*

Karen Brooks – Spanish Teacher – Penrice Community College – *"Verbs are bought to life in this book through skilful use of humorous storytelling. This innovative approach to language learning transforms an often dull and uninspiring process into one which is refreshing and empowering."*

Susana Boniface - Kidderminster College -*"Beautifully illustrated, amusing drawings, guaranteed to stay easily in the mind. A very user-friendly book. Well Done!"*

Sandra Browne Hart – Great Cornard Technology College -*"Inspired – the colour-coding reinforces the dependable patterns of Spanish verbs, in* *whatever tense. The pictures are always entertaining - a reminder that we also learn through laughter and humour."*

R. Place – Tyne Metropolitan College – *"The understanding and learning of verbs is probably the key to improving communication at every level. With this book verbs can be learnt quickly and accurately."*

Mrs. A. Coles – High Down School – *"Superb presentation. Very clear colour-coding of different tenses. Nice opportunity to practice the pronunciation. It appealed to one colleague who had never done Spanish but wanted to get started 'after seeing the book.' A great compliment to you!"*

Lynda McTier – Lipson Community College - *"No more boring grammar lessons!!! This book is a great tool for learning verbs through excellent illustrations. A must-have for all language learners."*

Christine Ransome – Bearwood College - *"A real gem of a linguistic tool which will appeal to both the serious scholar and the more casual learner. The entertaining presentation of basic grammar is inspirational, and its simplicity means more retained knowledge, especially amongst dyslexic language scholars."*

Ann Marie Buteman – St Edwards – *"The book is attractive, enlightening and intriguing. The students enjoy the pictures and retain the meaning. The coloured system for tenses is great! Visually, the book maintains enthusiasm and inspires and accelerates the assimilation of verbs and tenses. Superb!"*

Paul Delaney- St Martins -*"We have relatively few Spanish students but we have to get them to GCSE quickly. This verb guide is an ideal supplement to their textbooks and an invaluable aid for coursework success. The free online resources are an added bonus and 100% of all students thought this website was a good idea."*

Mrs. Eames - Akeley Wood School – *Good quality, easy to use – and a fantastic idea of colouring the verbs. It's a super facility to have pronunciation on the website. Students have turned around from lack of enthusiasm & feeling overwhelmed by verbs to 'this is fun, Miss!' and learning 3 verbs in a lesson – a first, very impressed. This book has renewed my interest too."*

Opiniones

La opinión de PROFESORES

Maggie Bowen – *Priory Community School* – *"Innovador e imaginativo. Acerca la gramática de forma entendedora al alumno, acelerando su aprendizaje"*.

Karen Brooks – *Penrice Community College* – *"Los verbos aparecen contextualizados gracias al uso de historias ocurrentes y divertidas. Un enfoque innovador que rompe con la monotonía del estudio gramatical"*.

Mrs G Bartolome – *Plockton High School* – *"Una bocanada de aire fresco lleno de creatividad"*.

Susana Boniface – *Kidderminster College* – *"Magníficamente ilustrado, visualmente atractivo. De lectura fácil y comprensible"*.

Dr Marianne Ofner – *Whitgift School* – *"Ideal para aprender los veros de forma amena, promoviendo la autonomía de los alumnos"*.

Gail Bruce – *Woodhouse Grove School* – *"Estoy encantado con la respuesta positiva de mis alumnos tras utilizar este método. Enhorabuena"*.

Janet R Holland – *Moorland School* – *"Estructura clara y simple con ilustraciones atractivas y llenas de colorido. Su guía de pronunciación es muy útil para la preparación de exámenes orales."*.

Cheryl Smedley – *Manchester Academy* – *"Da respuesta a las necesidades individuales de los alumnos"*.

R Place – *Tynemouth College* – *"Entender y dominar las formas verbales es esencial para mejorar la expresión oral. Con este libro el alumno aprenderá los verbos de forma rápida y eficaz"*.

Mrs C Quirk – *Northwood College* – *"Su presentación humaniza un aspecto gramatical complicado y provoca el interés del lector, facilitando la memorización o el repaso"*.

y ESTUDIANTES

Will Fergie – *(EBAY)* – *"El método es el sueño de cualquier estudiante. Interesante, sencillo de usar, claro, conciso y divertido. Un nuevo concepto en la enseñanza de idiomas"*.

Alice Dobson – *Hull High School* – *"Un libro único y esencial para comprender las formas verbales con unas ilustraciones excepcionales"*.

Tamara Oughtred – *Hull Grammar School* – *"Enhorabuena por crear un libro que no haga bostezar a los cinco minutos de lectura"*.

Introduction

Memory When learning a language, we often have problems remembering the words; it does not mean we have totally forgotten them. It just means that we can't recall them at that particular moment. This book is designed to help people recall the verbs and their conjugations instantly.

The Research Research has shown that one of the most effective ways to remember something is by association. The way the verb (keyword) has been hidden in each illustration to act as a retrieval cue stimulates long-term memory. This method is 7 times more effective than passively reading and responding to a list of verbs.

> *"I like the idea of pictures to help students learn verbs. This approach is radically different from many other more traditional approaches. I feel that many students will find this approach effective and extremely useful in their language learning."*
>
> **Cathy Yates** – *Mid Warwickshire College*

New Approach Most grammar and verb books relegate the vital task of learning verbs to a black & white world of bewildering tables, leaving the student bored and frustrated. LEARN 101 VERBS IN 1 DAY is committed to clarifying the importance of this process through stimulating the senses not by dulling them.

Beautiful Illustrations The illustrations come together to form a story, an approach beyond conventional verb books. To make the most of this book, spend time with each picture to become familiar with everything that is happening. The pictures construct a story involving characters, plots & subplots, with clues

> *"An innovative way of looking at the often tedious task of learning verbs. Clever illustrations are memorable and this is the way forward – visual interest is vital for the modern day pupil."*
>
> **Tessa Judkins** – *Canbury School*

that add meaning to other pictures. Some pictures are more challenging than others, adding to the fun but, more importantly, aiding the memory process.

Keywords We have called the infinitive the 'keyword' to refer to its central importance in remembering the 36 ways it can be used. Once you have located the keyword and made the connection with the illustration, you can start to learn each colour-tense.

> "Apart from the colourful and clear layout of the verbs, the wonderful pictures are a source of inspiration even for the most bored of minds and can lead to all kinds of discussions at different levels of learning. Hiding the verbs in the picture is a great version of "Where's Wally" AND the book has a story-line!"
>
> **Andy Lowe** – The Bolitho School

Colour-Coded Verb Tables The verb tables are designed to save learners valuable time by focusing their attention and allowing them to make immediate connections between the subject and verb. Making this association clear & simple from the beginning gives them more confidence to start speaking the language.

Independent Learning LEARN 101 VERBS IN 1 DAY can be used as a self-study book, or it can be used as part of a teacher-led course. Pronunciation of all the verbs and their conjugations (spoken by a native speaker) are available online at:

> "The online pronunciation guide is an excellent tool. Why bother with silly phonetics when you can actually hear a native speaker pronounce it?"
>
> www.barcelonaconnect.com

◀))) www.learnverbs.com.

Master the Verbs Once you are confident with each colour-tense, congratulate yourself because you will have learnt over 3600 verb forms - an achievement that takes some people years to master!

Introducción

Recordar   El hecho de no recordar un verbo en un momento determinado no significa que lo hayamos olvidado por completo. Este libro está diseñado para ayudarnos a recordar rápidamente el verbo y sus conjugaciones.

Ilustraciones   Las características más innovadoras de este libro son la ilustración de una situación para entender o recordar el significado del verbo en cuestión y la utilización de un código de colores para identificar los tiempos verbales.

> *"Me encanta la idea de usar dibujos para ayudar a los alumnos a aprender los verbos. Este enfoque es totalmente diferente al utilizado por la mayoría de gramáticas tradicionales. Estoy convencida de que para muchos alumnos este método será una herramienta útil y eficaz".*
>
> **Cathy Yates** – *Mid Warwickshire College*

Enfoque Revolucionario   Learn 101 Verbs in 1 Day representa un enfoque revolucionario en el aprendizaje de idiomas, centrándose en los verbos más utilizados y facilitando su rápida memorización o su simple repaso.

Aprendizaje Básico   No cabe duda que el aprendizaje de las conjugaciones verbales es básico para alcanzar el dominio de cualquier lengua. A pesar de ello, la mayoría de gramáticas relegan este aspecto a una multitud de tablas desconcertantes y monótonas que simplemente consiguen la frustración y el abandono del alumno.

> *"Presentación colorista e ilustraciones atractivas que motivan al lector y le ayudan a reconocer los verbos".*
>
> **Kant Mann** – *Beechen Cliff*

En cambio, el libro que tiene en sus manos hará del estudio de los tiempos verbales una experiencia divertida y gratificante gracias al uso de ilustraciones llamativas y tablas de colores, ahorrándole tiempo y animándole al uso de la expresión oral del idioma.

Innovación Pedagógica   Diversos estudios han demostrado que una de las estrategias más eficaces que existen para recordar lo aprendido es la asociación de ideas. Por ello, la forma en la que el verbo se esconde en cada ilustración no es casual. El aprendizaje activo y no la lectura pasiva de un listado de infinitivos quintuplica su facilidad para una memorización posterior.

Para aprovechar al máximo este libro, examine con detenimiento cada ilustración hasta familiarizarse con todos los detalles. Descubrirá un relato, personajes que aparecen en diversas ocasiones, simbolismos, argumentos principales y secundarios e ilustraciones que se complementan las unas con las otras.

En algunos casos, le será difícil descifrar el verbo que describe la situación. Pero no se preocupe, ello estimulará tanto su interés como la memoria.

> *"Claro y útil para distinguir las formas verbales. Considerado el mejor libro de verbos por los alumnos".*
>
> **Andrea White** – *Bristol Grammar School*

Palabras Clave   El infinitivo constituye la palabra clave ya que mediante su aprendizaje y visualización conseguirá recordar fácilmente las treinta y seis formas en que puede ser usado. Una vez haya localizado el verbo y la ilustración, puede empezar a estudiar cada color (que marca un tiempo verbal)

Estimulando el Aprendizaje Autónomo   Learn 101 Verbs in 1 day puede ser utilizado como libro de autoaprendizaje o puede complementar cualquier método o clase. La pronunciación de los verbos y sus respectivas conjugaciones puede consultarse en Internet en la siguiente página web:

> *"La guía de pronunciación online es una herramienta excelente. ¿Por qué complicarse en explicar símbolos fonéticos cuando se puede oír la pronunciación de un nativo?"*
>
> *www.barcelonaconnect.com*

◀))) www.learnverbs.com.

La guía de pronunciación online es una herramienta excelente. ¿Por qué complicarse en explicar símbolos fonéticos cuando se puede oír la pronunciación de un nativo?

Domine los Verbos Rápidamente   Una vez se haya familiarizado con cada color (tiempo verbal), ¡enhorabuena! – Significa que ha aprendido más de 3600 formas verbales en un tiempo récord, ya que muchas personas tardan años en conseguirlo.

Age Guide

AGE	Locate all verbs in the 101 illustrations.	Learn Tense(s).	Build sentences using the verbs.	Go to website and learn the pronoun-ciation of the verb.	Have full command of all conjugations spoken and written.
8-12	✔	●	✘	✘	✘
12-16	✔	●●●	✔	✔	✘
Advanced	✔	●●●●●●●	✔	✔	✔

Manual de uso por edades

EDAD	Identificar los verbos de las 101 ilustraciones.	Aprender los tiempos verbales.	Hacer frases con los verbos.	Aprender la pronunciación de los verbos online.	Dominar las conjugaciones a nivel oral y escrito.
8-12	✔	●	✘	✘	✘
12-16	✔	●●●	✔	✔	✘
Avanzado	✔	●●●●●●	✔	✔	✔

Regular Verbs

trinken

PRÄSENS		
Ich	trink	e
Du	trink	st
Er/Sie/Es	trink	t
Wir	trink	en
Ihr	trink	t
Sie/sie	trink	en

PLUSQUAM-PERFEKT		
Ich	hätte	getrunken
Du	hättest	getrunken
Er/Sie/Es	hätte	getrunken
Wir	hätten	getrunken
Ihr	hättet	getrunken
Sie/sie	hätten	getrunken

PRÄTERITUM		
Ich	trank	-
Du	trank	st
Er/Sie/Es	trank	-
Wir	trank	en
Ihr	trank	t
Sie/sie	trank	en

FUTUR		
Ich	werde	trinken
Du	wirst	trinken
Er/Sie/Es	wird	trinken
Wir	werden	trinken
Ihr	werdet	trinken
Sie/sie	werden	trinken

KONDITIONAL		
Ich	würde	trinken
Du	würdest	trinken
Er/Sie/Es	würde	trinken
Wir	würden	trinken
Ihr	würdet	trinken
Sie/sie	würden	trinken

PERFEKT		
Ich	habe	getrunken
Du	hast	getrunken
Er/Sie/Es	hat	getrunken
Wir	haben	getrunken
Ihr	habt	getrunken
Sie/sie	haben	getrunken

🔊))) learnverbs.com

Sub.	Präsens	Plusquam-perfekt	Präteritum	Futur	Konditional	Perfekt
ich	dirigiere	hatte dirigiert	dirigierte	werde dirigieren	würde dirigieren	habe dirigiert
du	dirigierst	hattest dirigiert	dirigiertest	wirst dirigieren	würdest dirigieren	hast dirigiert
er sie es	dirigiert	hatte dirigiert	dirigierte	wird dirigieren	würde dirigieren	hat dirigiert
wir	dirigieren	hatten dirigiert	dirigierten	werden dirigieren	würden dirigieren	haben dirigiert
ihr	dirigiert	hattet dirigiert	dirigiertet	werdet dirigieren	würdet dirigieren	habt dirigiert
Sie sie	dirigieren	hatten dirigiert	dirigierten	werden dirigieren	würden dirigieren	haben dirigiert

Sub.	Präsens	Plusquam-perfekt	Präteritum	Futur	Konditional	Perfekt
ich	habe	hatte gehabt	hatte	werde haben	würde haben	habe gehabt
du	hast	hattest gehabt	hattest	wirst haben	würdest haben	hast gehabt
er sie es	hat	hatte gehabt	hatte	wird haben	würde haben	hat gehabt
wir	haben	hatten gehabt	hatten	werden haben	würden haben	haben gehabt
ihr	habt	hattet gehabt	hattet	werdet haben	würdet haben	habt gehabt
Sie sie	haben	hatten gehabt	hatten	werden haben	würden haben	haben gehabt

🔊))) learnverbs.com

Sub.	Präsens	Plusquam-perfekt	Präteritum	Futur	Konditional	Perfekt
ich	will	hatte gewollt	wollte	werde wollen	würde wollen	habe gewollt
du	willst	hattest gewollt	wolltest	wirst wollen	würdest wollen	hast gewollt
er sie es	will	hatte gewollt	wollte	wird wollen	würde wollen	hat gewollt
wir	wollen	hatten gewollt	wollten	werden wollen	würden wollen	haben gewollt
ihr	wollt	hattet gewollt	wolltet	werdet wollen	würdet wollen	habt gewollt
Sie sie	wollen	hatten gewollt	wollten	werden wollen	würden wollen	haben gewollt

🔊 learnverbs.com

Sub.	Präsens	Plusquam-perfekt	Präteritum	Futur	Konditional	Perfekt
ich	kann	hatte gekonnt	konnte	werde können	würde können	habe gekonnt
du	kannst	hattest gekonnt	konntest	wirst können	würdest können	hast gekonnt
er sie es	kann	hatte gekonnt	konnte	wird können	würde können	hat gekonnt
wir	können	hatten gekonnt	konnten	werden können	würden können	haben gekonnt
ihr	könnt	hattet gekonnt	konntet	werdet können	würdet können	habt gekonnt
Sie sie	können	hatten gekonnt	konnten	werden können	würden können	haben gekonnt

🔊))) learnverbs.com

Sub.	Präsens	Plusquam-perfekt	Präteritum	Futur	Konditional	Perfekt
ich	schaffe	hatte geschaffen	schuf	werde schaffen	würde schaffen	habe geschaffen
du	schaffst	hattest geschaffen	schufst	wirst schaffen	würdest schaffen	hast geschaffen
er sie es	schafft	hatte geschaffen	schuf	wird schaffen	würde schaffen	hat geschaffen
wir	schaffen	hatten geschaffen	schufen	werden schaffen	würden schaffen	haben geschaffen
ihr	schafft	hattet geschaffen	schuft	werdet schaffen	würdet schaffen	habt geschaffen
Sie sie	schaffen	hatten geschaffen	schufen	werden schaffen	würden schaffen	haben geschaffen

Sub.	Präsens	Plusquam-perfekt	Präteritum	Futur	Konditional	Perfekt
ich	male	hatte gemalt	malte	werde malen	würde malen	habe gemalt
du	malst	hattest gemalt	maltest	wirst malen	würdest malen	hast gemalt
er sie es	malt	hatte gemalt	malte	wird malen	würde malen	hat gemalt
wir	malen	hatten gemalt	malten	werden malen	würden malen	haben gemalt
ihr	malt	hattet gemalt	maltet	werdet malen	würdet malen	habt gemalt
Sie sie	malen	hatten gemalt	malten	werden malen	würden malen	haben gemalt

🔊 learnverbs.com

Sub.	Präsens	Plusquam-perfekt	Präteritum	Futur	Konditional	Perfekt
ich	tanze	hatte getanzt	tanzte	werde tanzen	würde tanzen	habe getanzt
du	tanzt	hattest getanzt	tanztest	wirst tanzen	würdest tanzen	hast getanzt
er sie es	tanzt	hatte getanzt	tanzte	wird tanzen	würde tanzen	hat getanzt
wir	tanzen	hatten getanzt	tanzten	werden tanzen	würden tanzen	haben getanzt
ihr	tanzt	hattet getanzt	tanztet	werdet tanzen	würdet tanzen	habt getanzt
Sie sie	tanzen	hatten getanzt	tanzten	werden tanzen	würden tanzen	haben getanzt

🔊))) learnverbs.com

Sub.	Präsens	Plusquam-perfekt	Präteritum	Futur	Konditional	Perfekt
ich	lese	hatte gelesen	las	werde lesen	würde lesen	habe gelesen
du	liest	hattest gelesen	lasest	wirst lesen	würdest lesen	hast gelesen
er sie es	liest	hatte gelesen	las	wird lesen	würde lesen	hat gelesen
wir	lesen	hatten gelesen	lasen	werden lesen	würden lesen	haben gelesen
ihr	lest	hattet gelesen	last	werdet lesen	würdet lesen	habt gelesen
Sie sie	lesen	hatten gelesen	lasen	werden lesen	würden lesen	haben gelesen

Sub.	Präsens	Plusquam-perfekt	Präteritum	Futur	Konditional	Perfekt
ich	höre auf	hatte aufgehöft	hörte auf	werde aufhören	würde aufhören	habe aufgehört
du	hörst auf	hattest aufgehöft	hörtest auf	wirst aufhören	würdest aufhören	hast aufgehört
er sie es	hört auf	hatte aufgehöft	hörte auf	wird aufhören	würde aufhören	hat aufgehört
wir	hören auf	hatten aufgehöft	hörten auf	werden aufhören	würden aufhören	haben aufgehört
ihr	hört auf	hattet aufgehöft	hörtet auf	werdet aufhören	würdet aufhören	habt aufgehört
Sie sie	hören auf	hatten aufgehöft	hörten auf	werden aufhören	würden aufhören	hatten aufgehört

🔊))) learnverbs.com

Sub.	Präsens	Plusquam-perfekt	Präteritum	Futur	Konditional	Perfekt
ich	finde	hatte gefunden	fand	werde finden	würde finden	habe gefunden
du	findest	hattest gefunden	fandest	wirst finden	würdest finden	hast gefunden
er sie es	findet	hatte gefunden	fand	wird finden	würde finden	hat gefunden
wir	finden	hatten gefunden	fanden	werden finden	würden finden	haben gefunden
ihr	findet	hattet gefunden	fandet	werdet finden	würdet finden	habt gefunden
Sie sie	finden	hatten gefunden	fanden	werden finden	würden finden	haben gefunden

🔊 learnverbs.com

Sub.	Präsens	Plusquam-perfekt	Präteritum	Futur	Konditional	Perfekt
ich	wachse	war gewachsen	wuchs	werde wachsen	würde wachsen	bin gewachsen
du	wächst	warst gewachsen	wuchsest	wirst wachsen	würdest wachsen	bist gewachsen
er sie es	wächst	war gewachsen	wuchs	wird wachsen	würde wachsen	ist gewachsen
wir	wachsen	waren gewachsen	wuchsen	werden wachsen	würden wachsen	sind gewachsen
ihr	wachst	wart gewachsen	wuchst	werdet wachsen	würdet wachsen	seid gewachsen
Sie sie	wachsen	waren gewachsen	wuchsen	werden wachsen	würden wachsen	sind gewachsen

Sub.	Präsens	Plusquam-perfekt	Präteritum	Futur	Konditional	Perfekt
ich	bringe	hatte gebracht	brachte	werde bringen	würde bringen	habe gebracht
du	bringst	hattest gebracht	brachtest	wirst bringen	würdest bringen	hast gebracht
er sie es	bringt	hatte gebracht	brachte	wird bringen	würde bringen	hat gebracht
wir	bringen	hatten gebracht	brachten	werden bringen	würden bringen	haben gebracht
ihr	bringt	hattet gebracht	brachtet	werdet bringen	würdet bringen	habt gebracht
Sie sie	bringen	hatten gebracht	brachten	werden bringen	würden bringen	haben gebracht

🔊))) learnverbs.com

Sub.	Präsens	Plusquam-perfekt	Präteritum	Futur	Konditional	Perfekt
ich	koche	hatte gekocht	kochte	werde kochen	würde kochen	habe gekocht
du	kochst	hattest gekocht	kochtest	wirst kochen	würdest kochen	hast gekocht
er sie es	kocht	hatte gekocht	kochte	wird kochen	würde kochen	hat gekocht
wir	kochen	hatten gekocht	kochten	werden kochen	würden kochen	haben gekocht
ihr	kocht	hattet gekocht	kochtet	werdet kochen	würdet kochen	habt gekocht
Sie sie	kochen	hatten gekocht	kochten	werden kochen	würden kochen	haben gekocht

🔊))) learnverbs.com

Sub.	Präsens	Plusquam-perfekt	Präteritum	Futur	Konditional	Perfekt
ich	mag	hatte gemocht	mochte	werde mögen	würde mögen	habe gemocht
du	magst	hattest gemocht	mochtest	wirst mögen	würdest mögen	hast gemocht
er sie es	mag	hatte gemocht	mochte	wird mögen	würde mögen	hat gemocht
wir	mögen	hatten gemocht	mochten	werden mögen	würden mögen	haben gemocht
ihr	mögt	hattet gemocht	mochtet	werdet mögen	würdet mögen	habt gemocht
Sie sie	mögen	hatten gemocht	mochten	werden mögen	würden mögen	haben gemocht

🔊))) learnverbs.com

Sub.	Präsens	Plusquam-perfekt	Präteritum	Futur	Konditional	Perfekt
ich	öffne	hatte geöffnet	öffnete	werde öffnen	würde öffnen	habe geöffnet
du	öffnest	hattest geöffnet	öffnetest	wirst öffnen	würdest öffnen	hast geöffnet
er sie es	öffnet	hatte geöffnet	öffnete	wird öffnen	würde öffnen	hat geöffnet
wir	öffnen	hatten geöffnet	öffneten	werden öffnen	würden öffnen	haben geöffnet
ihr	öffnet	hattet geöffnet	öffnetet	werdet öffnen	würdet öffnen	habt geöffnet
Sie sie	öffnen	hatten geöffnet	öffneten	werden öffnen	würden öffnen	haben geöffnet

🔊))) learnverbs.com

Sub.	Präsens	Plusquam-perfekt	Präteritum	Futur	Konditional	Perfekt
ich	trinke	hatte getrunken	trank	werde trinken	würde trinken	habe getrunken
du	trinkst	hattest getrunken	trankst	wirst trinken	würdest trinken	hast getrunken
er sie es	trinkt	hatte getrunken	trank	wird trinken	würde trinken	hat getrunken
wir	trinken	hatten getrunken	tranken	werden trinken	würden trinken	haben getrunken
ihr	trinkt	hattet getrunken	trankt	werdet trinken	würdet trinken	habt getrunken
Sie sie	trinken	hatten getrunken	tranken	werden trinken	würden trinken	haben getrunken

🔊))) learnverbs.com

Sub.	Präsens	Plusquam-perfekt	Präteritum	Futur	Konditional	Perfekt
ich	singe	hatte gesungen	sang	werde singen	würde singen	habe gesungen
du	singst	hattest gesungen	sangst	wirst singen	würdest singen	hast gesungen
er sie es	singt	hatte gesungen	sang	wird singen	würde singen	hat gesungen
wir	singen	hatten gesungen	sangen	werden singen	würden singen	haben gesungen
ihr	singt	hattet gesungen	sangt	werdet singen	würdet singen	habt gesungen
Sie sie	singen	hatten gesungen	sangen	werden singen	würden singen	haben gesungen

🔊)) learnverbs.com

Sub.	Präsens	Plusquam-perfekt	Präteritum	Futur	Konditional	Perfekt
ich	schlafe	hatte geschlafen	schlief	werde schlafen	würde schlafen	habe geschlafen
du	schläfst	hattest geschlafen	schliefst	wirst schlafen	würdest schlafen	hast geschlafen
er sie es	schläft	hatte geschlafen	schlief	wird schlafen	würde schlafen	hat geschlafen
wir	schlafen	hatten geschlafen	schliefen	werden schlafen	würden schlafen	haben geschlafen
ihr	schlaft	hattet geschlafen	schlieft	werdet schlafen	würdet schlafen	habt geschlafen
Sie sie	schlafen	hatten geschlafen	schliefen	werden schlafen	würden schlafen	haben geschlafen

◀)) learnverbs.com

Sub.	Präsens	Plusquam-perfekt	Präteritum	Futur	Konditional	Perfekt
ich	hegehe runter	war herunter-gegangen	heging runter	werde heruntergehen	würde heruntergehen	bin herunter-gegangen
du	hegehst runter	warst herunter-gegangen	hegingstrunter	wirst heruntergehen	würdest heruntergehen	bist herunter-gegangen
er sie es	hegeht runter	war herunte-rgegangen	heging runter	wird heruntergehen	würde heruntergehen	ist herunter-gegangen
wir	hegehenrunter	waren herunter-gegangen	hegingenrunter	werden heruntergehen	würden heruntergehen	sind herunter-gegangen
ihr	hegeht runter	wart herunte-rgegangen	hegingt runter	werdet heruntergehen	würdet heruntergehen	seid herunter-gegangen
Sie sie	hegehenrunter	waren herunter-gegangen	hegingen runter	werden heruntergehen	würden heruntergehen	sind herunter-gegangen

Sub.	Präsens	Plusquam-perfekt	Präteritum	Futur	Konditional	Perfekt
ich	sitze	hatte gesessen	saß	werde sitzen	würde sitzen	habe gesessen
du	sitzt	hattest gesessen	saßest	wirst sitzen	würdest sitzen	hast gesessen
er sie es	sitzt	hatte gesessen	saß	wird sitzen	würde sitzen	hat gesessen
wir	sitzen	hatten gesessen	saßen	werden sitzen	würden sitzen	haben gesessen
ihr	sitzt	hattet gesessen	saßt	werdet sitzen	würdet sitzen	habt gesessen
Sie sie	sitzen	hatten gesessen	saßen	werden sitzen	würden sitzen	haben gesessen

🔊))) learnverbs.com

Sub.	Präsens	Plusquam-perfekt	Präteritum	Futur	Konditional	Perfekt
ich	spiele	hatte gespielt	spielte	werde spielen	würde spielen	habe gespielt
du	spielst	hattest gespielt	spieltest	wirst spielen	würdest spielen	hast gespielt
er sie es	spielt	hatte gespielt	spielte	wird spielen	würde spielen	hat gespielt
wir	spielen	hatten gespielt	spielten	werden spielen	würden spielen	haben gespielt
ihr	spielt	hattet gespielt	spieltet	werdet spielen	würdet spielen	habt gespielt
Sie sie	spielen	hatten gespielt	spielten	werden spielen	würden spielen	haben gespielt

🔊))) learnverbs.com

Sub.	Präsens	Plusquam-perfekt	Präteritum	Futur	Konditional	Perfekt
ich	stelle	hatte gestellt	stellte	werde stellen	würde stellen	habe gestellt
du	stellst	hattest gestellt	stelltest	wirst stellen	würdest stellen	hast gestellt
er sie es	stellt	hatte gestellt	stellte	wird stellen	würde stellen	hat gestellt
wir	stellen	hatten gestellt	stellten	werden stellen	würden stellen	haben gestellt
ihr	stellt	hattet gestellt	stelltet	werdet stellen	würdet stellen	habt gestellt
Sie sie	stellen	hatten gestellt	stellten	werden stellen	würden stellen	haben gestellt

🔊))) learnverbs.com

Sub.	Präsens	Plusquam-perfekt	Präteritum	Futur	Konditional	Perfekt
ich	verliere	hatte verloren	verlor	werde verlieren	würde verlieren	habe verloren
du	verlierst	hattest verloren	verlorst	wirst verlieren	würdest verlieren	hast verloren
er sie es	verliert	hatte verloren	verlor	wird verlieren	würde verlieren	hat verloren
wir	verlieren	hatten verloren	verloren	werden verlieren	würden verlieren	haben verloren
ihr	verliert	hattet verloren	verlort	werdet verlieren	würdet verlieren	habt verloren
Sie sie	verlieren	hatten verloren	verloren	werden verlieren	würden verlieren	haben verloren

🔊))) learnverbs.com

Sub.	Präsens	Plusquam-perfekt	Präteritum	Futur	Konditional	Perfekt
ich	wache auf	war aufgewacht	wachte auf	werde aufwachen	würde aufwachen	bin aufgewacht
du	wachst auf	warst aufgewacht	wachtest auf	wirst aufwachen	würdest aufwachen	bist aufgewacht
er sie es	wacht auf	war aufgewacht	wachte auf	wird aufwachen	würde aufwachen	ist aufgewacht
wir	wachen auf	waren aufgewacht	wachten auf	werden aufwachen	würden aufwachen	sind aufgewacht
ihr	wacht auf	wart aufgewacht	wachtet auf	werdet aufwachen	würdet aufwachen	seid aufgewacht
Sie sie	wachen auf	waren aufgewacht	wachten auf	werden aufwachen	würden aufwachen	sind aufgewacht

🔊))) learnverbs.com

Sub.	Präsens	Plusquam-perfekt	Präteritum	Futur	Konditional	Perfekt
ich	renne	war gerannt	rannte	werde rennen	würde rennen	bin gerannt
du	rennst	warst gerannt	ranntest	wirst rennen	würdest rennen	bist gerannt
er sie es	rennt	war gerannt	rannte	wird rennen	würde rennen	ist gerannt
wir	rennen	waren gerannt	rannten	werden rennen	würden rennen	sind gerannt
ihr	rennt	wart gerannt	ranntet	werdet rennen	würdet rennen	seid gerannt
Sie sie	rennen	waren gerannt	rannten	werden rennen	würden rennen	sind gerannt

fallen

26

to fall | caer

🔊 learnverbs.com

Sub.	Präsens	Plusquam-perfekt	Präteritum	Futur	Konditional	Perfekt
ich	falle	war gefallen	fiel	werde fallen	würde fallen	bin gefallen
du	fällst	warst gefallen	fielst	wirst fallen	würdest fallen	bist gefallen
er sie es	fällt	war gefallen	fiel	wird fallen	würde fallen	ist gefallen
wir	fallen	waren gefallen	fielen	werden fallen	würden fallen	sind gefallen
ihr	fallt	wart gefallen	fielt	werdet fallen	würdet fallen	seid gefallen
Sie sie	fallen	waren gefallen	fielen	werden fallen	würden fallen	sind gefallen

Sub.	Präsens	Plusquam-perfekt	Präteritum	Futur	Konditional	Perfekt
ich	suche	hatte gesucht	suchte	werde suchen	würde suchen	habe gesucht
du	suchst	hattest gesucht	suchtest	wirst suchen	würdest suchen	hast gesucht
er sie es	sucht	hatte gesucht	suchte	wird suchen	würde suchen	hat gesucht
wir	suchen	hatten gesucht	suchten	werden suchen	würden suchen	haben gesucht
ihr	sucht	hattet gesucht	suchtet	werdet suchen	würdet suchen	habt gesucht
Sie sie	suchen	hatten gesucht	suchten	werden suchen	würden suchen	haben gesucht

Sub.	Präsens	Plusquam-perfekt	Präteritum	Futur	Konditional	Perfekt
ich	gehe aus	war ausgegangen	ging aus	werde ausgehen	würde ausgehen	bin ausgegangen
du	gehst aus	warst ausgegangen	gingst aus	wirst ausgehen	würdest ausgehen	bist ausgegangen
er sie es	geht aus	war ausgegangen	ging aus	wird ausgehen	würde ausgehen	ist ausgegangen
wir	gehen aus	waren ausgegangen	gingen aus	werden ausgehen	würden ausgehen	sind ausgegangen
ihr	geht aus	wart ausgegangen	gingt aus	werdet ausgehen	würdet ausgehen	seid ausgegangen
Sie sie	gehen aus	waren ausgegangen	gingen aus	werden ausgehen	würden ausgehen	sind ausgegangen

🔊)) learnverbs.com

Sub.	Präsens	Plusquam-perfekt	Präteritum	Futur	Konditional	Perfekt
ich	dusche	hatte geduscht	duschte	werde duschen	würde duschen	habe geduscht
du	duschst	hattest geduscht	duschtest	wirst duschen	würdest duschen	hast geduscht
er sie es	duscht	hatte geduscht	duschte	wird duschen	würde duschen	hat geduscht
wir	duschen	hatten geduscht	duschten	werden duschen	würden duschen	haben geduscht
ihr	duscht	hattet geduscht	duschtet	werdet duschen	würdet duschen	habt geduscht
Sie sie	duschen	hatten geduscht	duschten	werden duschen	würden duschen	haben geduscht

🔊))) learnverbs.com

Sub.	Präsens	Plusquam-perfekt	Präteritum	Futur	Konditional	Perfekt
ich	kämme	hatte gekämmt	kämmte	werde kämmen	würde kämmen	habe gekämmt
du	kämmst	hattest gekämmt	kämmtest	wirst kämmen	würdest kämmen	hast gekämmt
er sie es	kämmt	hatte gekämmt	kämmte	wird kämmen	würde kämmen	hat gekämmt
wir	kämmen	hatten gekämmt	kämmten	werden kämmen	würden kämmen	haben gekämmt
ihr	kämmt	hattet gekämmt	kämmtet	werdet kämmen	würdet kämmen	habt gekämmt
Sie sie	kämmen	hatten gekämmt	kämmten	werden kämmen	würden kämmen	haben gekämmt

sich anziehen

🔊))) learnverbs.com

Sub.	Präsens	Plusquam-perfekt	Präteritum	Futur	Konditional	Perfekt
ich	ziehe mich an	hatte mich angezogen	zog mich an	werde mich anziehen	würde mich anziehen	habe mich angezogen
du	ziehst dich an	hattest dich angezogen	zogst dich an	wirst dich anziehen	würdest dich anziehen	hast dich angezogen
er sie es	zieht sich an	hatte sich angezogen	zog sich an	wird sich anziehen	würde sich anziehen	hat sich angezogen
wir	ziehen uns an	hatten uns angezogen	zogen uns an	werden uns anziehen	würden uns anziehen	haben uns angezogen
ihr	zieht euch an	hattet euch angezogen	zogt euch an	werdet euch anziehen	würdet euch anziehen	habt euch angezogen
Sie sie	ziehen sich an	hatten sich angezogen	zogen sich an	werden sich anziehen	würden sich anziehen	haben sich angezogen

Sub.	Präsens	Plusquam-perfekt	Präteritum	Futur	Konditional	Perfekt
ich	komme an	war angekommen	kam an	werde ankommen	würde ankommen	bin angekommen
du	kommst an	warst angekommen	kamst an	wirst ankommen	würdest ankommen	bist angekommen
er sie es	kommt an	war angekommen	kam an	wird ankommen	würde ankommen	ist angekommen
wir	kommen an	waren angekommen	kamen an	werden ankommen	würden ankommen	sind angekommen
ihr	kommt an	wart angekommen	kamt an	werdet ankommen	würdet ankommen	seid angekommen
Sie sie	kommen an	waren angekommen	kamen an	werden ankommen	würden ankommen	sind angekommen

🔊))) learnverbs.com

Sub.	Präsens	Plusquam-perfekt	Präteritum	Futur	Konditional	Perfekt
ich	sehe	hatte gesehen	sah	werde sehen	würde sehen	habe gesehen
du	siehst	hattest gesehen	sahst	wirst sehen	würdest sehen	hast gesehen
er sie es	sieht	hatte gesehen	sah	wird sehen	würde sehen	hat gesehen
wir	sehen	hatten gesehen	sahen	werden sehen	würden sehen	haben gesehen
ihr	seht	hattet gesehen	saht	werdet sehen	würdet sehen	habt gesehen
Sie sie	sehen	hatten gesehen	sahen	werden sehen	würden sehen	haben gesehen

🔊 learnverbs.com

Sub.	Präsens	Plusquam-perfekt	Präteritum	Futur	Konditional	Perfekt
ich	schreie	hatte geschrien	schrie	werde schreien	würde schreien	habe geschrien
du	schreist	hattest geschrien	schriest	wirst schreien	würdest schreien	hast geschrien
er sie es	schreit	hatte geschrien	schrie	wird schreien	würde schreien	hat geschrien
wir	schreien	hatten geschrien	schrien	werden schreien	würden schreien	haben geschrien
ihr	schreit	hattet geschrien	schriet	werdet schreien	würdet schreien	habt geschrien
Sie sie	schreien	hatten geschrien	schrien	werden schreien	würden schreien	haben geschrien

🔊 learnverbs.com

Sub.	Präsens	Plusquam-perfekt	Präteritum	Futur	Konditional	Perfekt
ich	höre	hatte gehört	hörte	werde hören	würde hören	habe gehört
du	hörst	hattest gehört	hörtest	wirst hören	würdest hören	hast gehört
er sie es	hört	hatte gehört	hörte	wird hören	würde hören	hat gehört
wir	hören	hatten gehört	hörten	werden hören	würden hören	haben gehört
ihr	hört	hattet gehört	hörtet	werdet hören	würdet hören	habt gehört
Sie sie	hören	hatten gehört	hörten	werden hören	würden hören	haben gehört

🔊))) learnverbs.com

Sub.	Präsens	Plusquam-perfekt	Präteritum	Futur	Konditional	Perfekt
ich	kämpfe	hatte gekämpft	kämpfte	werde kämpfen	würde kämpfen	habe gekämpft
du	kämpfst	hattest gekämpft	kämpftest	wirst kämpfen	würdest kämpfen	hast gekämpft
er sie es	kämpft	hatte gekämpft	kämpfte	wird kämpfen	würde kämpfen	hat gekämpft
wir	kämpfen	hatten gekämpft	kämpften	werden kämpfen	würden kämpfen	haben gekämpft
ihr	kämpft	hattet gekämpft	kämpftet	werdet kämpfen	würdet kämpfen	habt gekämpft
Sie sie	kämpfen	hatten gekämpft	kämpften	werden kämpfen	würden kämpfen	haben gekämpft

 learnverbs.com

Sub.	Präsens	Plusquam-perfekt	Präteritum	Futur	Konditional	Perfekt
ich	trenne	hatte getrennt	trennte	werde trennen	würde trennen	habe getrennt
du	trennst	hattest getrennt	trenntest	wirst trennen	würdest trennen	hast getrennt
er sie es	trennt	hatte getrennt	trennte	wird trennen	würde trennen	hat getrennt
wir	trennen	hatten getrennt	trennten	werden trennen	würden trennen	haben getrennt
ihr	trennt	hattet getrennt	trenntet	werdet trennen	würdet trennen	habt getrennt
Sie sie	trennen	hatten getrennt	trennten	werden trennen	würden trennen	haben getrennt

🔊))) learnverbs.com

Sub.	Präsens	Plusquam-perfekt	Präteritum	Futur	Konditional	Perfekt
ich	schließe	hatte geschlossen	schloss	werde schließen	würde schließen	habe geschlossen
du	schließt	hattest geschlossen	schlossest	wirst schließen	würdest schließen	hast geschlossen
er sie es	schließt	hatte geschlossen	schloss	wird schließen	würde schließen	hat geschlossen
wir	schließen	hatten geschlossen	schlossen	werden schließen	würden schließen	haben geschlossen
ihr	schließt	hattet geschlossen	schlosst	werdet schließen	würdet schließen	habt geschlossen
Sie sie	schließen	hatten geschlossen	schlossen	werden schließen	würden schließen	haben geschlossen

learnverbs.com

Sub.	Präsens	Plusquam-perfekt	Präteritum	Futur	Konditional	Perfekt
ich	vergesse	hatte vergessen	vergaß	werde vergessen	würde vergessen	habe vergessen
du	vergisst	hattest vergessen	vergaßest	wirst vergessen	würdest vergessen	hast vergessen
er sie es	vergisst	hatte vergessen	vergaß	wird vergessen	würde vergessen	hat vergessen
wir	vergessen	hatten vergessen	vergaßen	werden vergessen	würden vergessen	haben vergessen
ihr	vergesst	hattet vergessen	vergaßt	werdet vergessen	würdet vergessen	habt vergessen
Sie sie	vergessen	hatten vergessen	vergaßen	werden vergessen	würden vergessen	haben vergessen

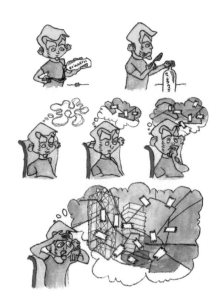

🔊 learnverbs.com

Sub.	Präsens	Plusquam-perfekt	Präteritum	Futur	Konditional	Perfekt
ich	erinnere mich	hatte mich erinnert	erinnerte mich	werde mich erinnern	würde erinnern	habe mich erinnert
du	erinnerst dich	hattest dich erinnert	erinnertest dich	wirst dich erinnern	würdest erinnern	hast dich erinnert
er sie es	erinnert sich	hatte sich erinnert	erinnerte sich	wird sich erinnern	würde erinnern	hat sich erinnert
wir	erinnern uns	hatten uns erinnert	erinnerten uns	werden uns erinnern	würden erinnern	haben uns erinnert
ihr	erinnert euch	hattet euch erinnert	erinnertet euch	werdet euch erinnern	würdet erinnern	habt euch erinnert
Sie sie	erinnern sich	hatten uns erinnert	erinnerten sich	werden sich erinnern	würden erinnern	haben sich erinnert

🔊))) learnverbs.com

Sub.	Präsens	Plusquam-perfekt	Präteritum	Futur	Konditional	Perfekt
es	regnet	hatte geregnet	regnete	wird regnen	würde regnen	hat geregnet

🔊 learnverbs.com

Sub.	Präsens	Plusquam-perfekt	Präteritum	Futur	Konditional	Perfekt
ich	spreche	hatte gesprochen	sprach	werde sprechen	würde sprechen	habe gesprochen
du	sprichst	hattest gesprochen	sprachst	wirst sprechen	würdest sprechen	hast gesprochen
er sie es	spricht	hatte gesprochen	sprach	wird sprechen	würde sprechen	hat gesprochen
wir	sprechen	hatten gesprochen	sprachen	werden sprechen	würden sprechen	haben gesprochen
ihr	sprecht	hattet gesprochen	spracht	werdet sprechen	würdet sprechen	habt gesprochen
Sie sie	sprechen	hatten gesprochen	sprachen	werden sprechen	würden sprechen	haben gesprochen

🔊))) learnverbs.com

Sub.	Präsens	Plusquam-perfekt	Präteritum	Futur	Konditional	Perfekt
ich	stolpere	war gestolpert	stolperte	werde stolpern	würde stolpern	habe gestolpert
du	stolperst	warst gestolpert	stolpertest	wirst stolpern	würdest stolpern	hast gestolpert
er sie es	stolpert	war gestolpert	stolperte	wird stolpern	würde stolpern	hat gestolpert
wir	stolpern	waren gestolpert	stolperten	werden stolpern	würden stolpern	haben gestolpert
ihr	stolpert	wart gestolpert	stolpertet	werdet stolpern	würdet stolpern	habt gestolpert
Sie sie	stolpern	waren gestolpert	stolperten	werden stolpern	würden stolpern	haben gestolpert

🔊))) learnverbs.com

Sub.	Präsens	Plusquam-perfekt	Präteritum	Futur	Konditional	Perfekt
ich	trete	war getreten	trat	werde treten	würde treten	bin getreten
du	trittst	warst getreten	tratest	wirst treten	würdest treten	bist getreten
er sie es	tritt	war getreten	trat	wird treten	würde treten	ist getreten
wir	treten	waren getreten	traten	werden treten	würden treten	sind getreten
ihr	tretet	wart getreten	tratet	werdet treten	würdet treten	seid getreten
Sie sie	treten	waren getreten	traten	werden treten	würden treten	sind getreten

🔊)) learnverbs.com

Sub.	Präsens	Plusquam-perfekt	Präteritum	Futur	Konditional	Perfekt
ich	denke	hatte gedacht	dachte	werde denken	würde denken	habe gedacht
du	denkst	hattest gedacht	dachtest	wirst denken	würdest denken	hast gedacht
er sie es	denkt	hatte gedacht	dachte	wird denken	würde denken	hat gedacht
wir	denken	hatten gedacht	dachten	werden denken	würden denken	haben gedacht
ihr	denkt	hattet gedacht	dachtet	werdet denken	würdet denken	habt gedacht
Sie sie	denken	hatten gedacht	dachten	werden denken	würden denken	haben gedacht

Sub.	Präsens	Plusquam-perfekt	Präteritum	Futur	Konditional	Perfekt
ich	bin	war gewesen	war	werde sein	würde sein	bin gewesen
du	bist	warst gewesen	warst	wirst sein	würdest sein	bist gewesen
er sie es	ist	war gewesen	war	wird sein	würde sein	ist gewesen
wir	sind	waren gewesen	waren	werden sein	würden sein	sind gewesen
ihr	seid	wart gewesen	wart	werdet sein	würdet sein	seid gewesen
Sie sie	sind	waren gewesen	waren	werden sein	würden sein	sind gewesen

🔊 learnverbs.com

Sub.	Präsens	Plusquam-perfekt	Präteritum	Futur	Konditional	Perfekt
ich	entscheide	hatte entschieden	entschied	werde entscheiden	würde entscheiden	habe entschieden
du	entscheidest	hattest entschieden	entschiedest	wirst entscheiden	würdest entscheiden	hast entschieden
er sie es	entscheidet	hatte entschieden	entschied	wird entscheiden	würde entscheiden	hat entschieden
wir	entscheiden	hatten entschieden	entschieden	werden entscheiden	würden entscheiden	haben entschieden
ihr	entscheidet	hattet entschieden	entschiedet	werdet entscheiden	würdet entscheiden	habt entschieden
Sie sie	entscheiden	hatten entschieden	entschieden	werden entscheiden	würden entscheiden	haben entschieden

Sub.	Präsens	Plusquam-perfekt	Präteritum	Futur	Konditional	Perfekt
ich	weiß	hatte gewußt	wußte	werde wissen	würde wissen	habe gewußt
du	weißt	hattest gewußt	wußtest	wirst wissen	würdest wissen	hast gewußt
er sie es	weiß	hatte gewußt	wußte	wird wissen	würde wissen	hat gewußt
wir	wissen	hatten gewußt	wußten	werden wissen	würden wissen	haben gewußt
ihr	wißt	hattet gewußt	wußtet	werdet wissen	würdet wissen	habt gewußt
Sie sie	wissen	hatten gewußt	wußten	werden wissen	würden wissen	haben gewußt

Sub.	Präsens	Plusquam-perfekt	Präteritum	Futur	Konditional	Perfekt
ich	tausche	hatte getauscht	tauschte	werde tauschen	würde tauschen	habe getauscht
du	tauschst	hattest getauscht	tauschtest	wirst tauschen	würdest tauschen	hast getauscht
er sie es	tauscht	hatte getauscht	tauschte	wird tauschen	würde tauschen	hat getauscht
wir	tauschen	hatten getauscht	tauschten	werden tauschen	würden tauschen	haben getauscht
ihr	tauscht	hattet getauscht	tauschtet	werdet tauschen	würdet tauschen	habt getauscht
Sie sie	tauschen	hatten getauscht	tauschten	werden tauschen	würden tauschen	haben getauscht

🔊))) learnverbs.com

Sub.	Präsens	Plusquam-perfekt	Präteritum	Futur	Konditional	Perfekt
ich	lerne	hatte gelernt	lernte	werde lernen	würde lernen	habe gelernt
du	lernst	hattest gelernt	lerntest	wirst lernen	würdest lernen	hast gelernt
er sie es	lernt	hatte gelernt	lernte	wird lernen	würde lernen	hat gelernt
wir	lernen	hatten gelernt	lernten	werden lernen	würden lernen	haben gelernt
ihr	lernt	hattet gelernt	lerntet	werdet lernen	würdet lernen	habt gelernt
Sie sie	lernen	hatten gelernt	lernten	werden lernen	würden lernen	haben gelernt

Sub.	Präsens	Plusquam-perfekt	Präteritum	Futur	Konditional	Perfekt
ich	studiere	hatte studiert	studierte	werde studieren	würde studieren	habe studiert
du	studierst	hattest studiert	studiertest	wirst studieren	würdest studieren	hast studiert
er sie es	studiert	hatte studiert	studierte	wird studieren	würde studieren	hat studiert
wir	studieren	hatten studiert	studierten	werden studieren	würden studieren	haben studiert
ihr	studiert	hattet studiert	studiertet	werdet studieren	würdet studieren	habt studiert
Sie sie	studieren	hatten studiert	studierten	werden studieren	würden studieren	haben studiert

🔊 learnverbs.com

Sub.	Präsens	Plusquam-perfekt	Präteritum	Futur	Konditional	Perfekt
ich	träume	hatte geträumt	träumte	werde träumen	würde träumen	habe geträumt
du	träumst	hattest geträumt	träumtest	wirst träumen	würdest träumen	hast geträumt
er sie es	träumt	hatte geträumt	träumte	wird träumen	würde träumen	hat geträumt
wir	träumen	hatten geträumt	träumten	werden träumen	würden träumen	haben geträumt
ihr	träumt	hattet geträumt	träumtet	werdet träumen	würdet träumen	habt geträumt
Sie sie	träumen	hatten geträumt	träumten	werden träumen	würden träumen	haben geträumt

🔊)) learnverbs.com

Sub.	Präsens	Plusquam-perfekt	Präteritum	Futur	Konditional	Perfekt
ich	starte	hatte gestartet	startete	werde starten	würde starten	habe gestartet
du	startest	hattest gestartet	startetest	wirst starten	würdest starten	hast gestartet
er sie es	startet	hatte gestartet	startete	wird starten	würde starten	hat gestartet
wir	starten	hatten gestartet	starteten	werden starten	würden starten	haben gestartet
ihr	startet	hattet gestartet	startetet	werdet starten	würdet starten	habt gestartet
Sie sie	starten	hatten gestartet	starteten	werden starten	würden starten	haben gestartet

🔊 learnverbs.com

Sub.	Präsens	Plusquam-perfekt	Präteritum	Futur	Konditional	Perfekt
ich	beende	hatte beendet	beendete	werde beenden	würde beenden	habe beendet
du	beendest	hattest beendet	beendetest	wirst beenden	würdest beenden	hast beendet
er sie es	beendet	hatte beendet	beendete	wird beenden	würde beenden	hat beendet
wir	beenden	hatten beendet	beendeten	werden beenden	würden beenden	haben beendet
ihr	beendet	hattet beendet	beendetet	werdet beenden	würdet beenden	habt beendet
Sie sie	beenden	hatten beendet	beendeten	werden beenden	würden beenden	haben beendet

🔊))) learnverbs.com

Sub.	Präsens	Plusquam-perfekt	Präteritum	Futur	Konditional	Perfekt
ich	gewinne	hatte gewonnen	gewann	werde gewinnen	würde gewinnen	habe gewonnen
du	gewinnst	hattest gewonnen	gewannst	wirst gewinnen	würdest gewinnen	hast gewonnen
er sie es	gewinnt	hatte gewonnen	gewann	wird gewinnen	würde gewinnen	hat gewonnen
wir	gewinnen	hatten gewonnen	gewannen	werden gewinnen	würden gewinnen	haben gewonnen
ihr	gewinnt	hattet gewonnen	gewannt	werdet gewinnen	würdet gewinnen	habt gewonnen
Sie sie	gewinnen	hatten gewonnen	gewannen	werden gewinnen	würden gewinnen	haben gewonnen

🔊))) learnverbs.com

Sub.	Präsens	Plusquam-perfekt	Präteritum	Futur	Konditional	Perfekt
ich	lüge	hatte gelogen	log	werde lügen	würde lügen	habe gelogen
du	lügst	hattest gelogen	logst	wirst lügen	würdest lügen	hast gelogen
er sie es	lügt	hatte gelogen	log	wird lügen	würde lügen	hat gelogen
wir	lügen	hatten gelogen	logen	werden lügen	würden lügen	haben gelogen
ihr	lügt	hattet gelogen	logt	werdet lügen	würdet lügen	habt gelogen
Sie sie	lügen	hatten gelogen	logen	werden lügen	würden lügen	haben gelogen

🔊 learnverbs.com

Sub.	Präsens	Plusquam-perfekt	Präteritum	Futur	Konditional	Perfekt
ich	teste	hatte getestet	testete	werde testen	würde testen	habe getestet
du	testest	hattest getestet	testetest	wirst testen	würdest testen	hast getestet
er sie es	testet	hatte getestet	testete	wird testen	würde testen	hat getestet
wir	testen	hatten getestet	testeten	werden testen	würden testen	haben getestet
ihr	testet	hattet getestet	testetet	werdet testen	würdet testen	habt getestet
Sie sie	testen	hatten getestet	testeten	werden testen	würden testen	haben getestet

(((●))) learnverbs.com

Sub.	Präsens	Plusquam-perfekt	Präteritum	Futur	Konditional	Perfekt
ich	fahre	war gefahren	fuhr	werde fahren	würde fahren	bin gefahren
du	fährst	warst gefahren	fuhrst	wirst fahren	würdest fahren	bist gefahren
er sie es	fährt	war gefahren	fuhr	wird fahren	würde fahren	ist gefahren
wir	fahren	waren gefahren	fuhren	werden fahren	würden fahren	sind gefahren
ihr	fahrt	wart gefahren	fuhrt	werdet fahren	würdet fahren	seid gefahren
Sie sie	fahren	waren gefahren	fuhren	werden fahren	würden fahren	sind gefahren

🔊))) learnverbs.com

Sub.	Präsens	Plusquam-perfekt	Präteritum	Futur	Konditional	Perfekt
ich	zähle	hatte gezählt	zählte	werde zählen	würde zählen	habe gezählt
du	zählst	hattest gezählt	zähltest	wirst zählen	würdest zählen	hast gezählt
er sie es	zählt	hatte gezählt	zählte	wird zählen	würde zählen	hat gezählt
wir	zählen	hatten gezählt	zählten	werden zählen	würden zählen	haben gezählt
ihr	zählt	hattet gezählt	zähltet	werdet zählen	würdet zählen	habt gezählt
Sie sie	zählen	hatten gezählt	zählten	werden zählen	würden zählen	haben gezählt

🔊))) learnverbs.com

Sub.	Präsens	Plusquam-perfekt	Präteritum	Futur	Konditional	Perfekt
ich	ordne	hatte geordnet	ordnete	werde ordnen	würde ordnen	habe geordnet
du	ordnest	hattest geordnet	ordnetest	wirst ordnen	würdest ordnen	hast geordnet
er sie es	ordnet	hatte geordnet	ordnete	wird ordnen	würde ordnen	hat geordnet
wir	ordnen	hatten geordnet	ordneten	werden ordnen	würden ordnen	haben geordnet
ihr	ordnet	hattet geordnet	ordnetet	werdet ordnen	würdet ordnen	habt geordnet
Sie sie	ordnen	hatten geordnet	ordneten	werden ordnen	würden ordnen	haben geordnet

🔊))) learnverbs.com

Sub.	Präsens	Plusquam-perfekt	Präteritum	Futur	Konditional	Perfekt
ich	baue	hatte gebaut	baute	werde bauen	würde bauen	habe gebaut
du	baust	hattest gebaut	bautest	wirst bauen	würdest bauen	hast gebaut
er sie es	baut	hatte gebaut	baute	wird bauen	würde bauen	hat gebaut
wir	bauen	hatten gebaut	bauten	werden bauen	würden bauen	haben gebaut
ihr	baut	hattet gebaut	bautet	werdet bauen	würdet bauen	habt gebaut
Sie sie	bauen	hatten gebaut	bauten	werden bauen	würden bauen	haben gebaut

🔊))) learnverbs.com

Sub.	Präsens	Plusquam-perfekt	Präteritum	Futur	Konditional	Perfekt
ich	putze	hatte geputzt	putzte	werde putzen	würde putzen	habe geputzt
du	putzt	hattest geputzt	putztest	wirst putzten	würdest putzen	hast geputzt
er sie es	putzt	hatte geputzt	putzte	wird putzen	würde putzen	hat geputzt
wir	putzen	hatten geputzt	putzten	werden putzen	würden putzen	haben geputzt
ihr	putzt	hattet geputzt	putztet	werdet putzen	würdet putzen	habt geputzt
Sie sie	putzen	hatten geputzt	putzten	werden putzen	würden putzen	haben geputzt

🔊))) learnverbs.com

Sub.	Präsens	Plusquam-perfekt	Präteritum	Futur	Konditional	Perfekt
ich	poliere	hatte poliert	polierte	werde polieren	würde polieren	habe poliert
du	polierst	hattest poliert	poliertest	wirst polieren	würdest polieren	hast poliert
er sie es	poliert	hatte poliert	polierte	wird polieren	würde polieren	hat poliert
wir	polieren	hatten poliert	polierten	werden polieren	würden polieren	haben poliert
ihr	poliert	hattet poliert	poliertet	werdet polieren	würdet polieren	habt poliert
Sie sie	polieren	hatten poliert	polierten	werden polieren	würden polieren	haben poliert

🔊))) learnverbs.com

Sub.	Präsens	Plusquam-perfekt	Präteritum	Futur	Konditional	Perfekt
ich	schreibe	hatte geschrieben	schrieb	werde schreiben	würde schreiben	habe geschrieben
du	schreibst	hattest geschrieben	schriebst	wirst schreiben	würdest schreiben	hast geschrieben
er sie es	schreibt	hatte geschrieben	schrieb	wird schreiben	würde schreiben	hat geschrieben
wir	schreiben	hatten geschrieben	schrieben	werden schreiben	würden schreiben	haben geschrieben
ihr	schreibt	hattet geschrieben	schriebt	werdet schreiben	würdet schreiben	habt geschrieben
Sie sie	schreiben	hatten geschrieben	schrieben	werden schreiben	würden schreiben	haben geschrieben

🔊))) learnverbs.com

Sub.	Präsens	Plusquam-perfekt	Präteritum	Futur	Konditional	Perfekt
ich	erhalte	hatte erhalten	erhielt	werde erhalten	würde erhalten	habe erhalten
du	erhältst	hattest erhalten	erhieltest	wirst erhalten	würdest erhalten	hast erhalten
er sie es	erhält	hatte erhalten	erhielt	wird erhalten	würde erhalten	hat erhalten
wir	erhalten	hatten erhalten	erhielten	werden erhalten	würden erhalten	haben erhalten
ihr	erhaltet	hattet erhalten	erhieltet	werdet erhalten	würdet erhalten	habt erhalten
Sie sie	erhalten	hatten erhalten	erhielten	werden erhalten	würden erhalten	haben erhalten

Sub.	Präsens	Plusquam-perfekt	Präteritum	Futur	Konditional	Perfekt
ich	gebe	hatte gegeben	gab	werde geben	würde geben	habe gegeben
du	gibst	hattest gegeben	gabst	wirst geben	würdest geben	hast gegeben
er sie es	gibt	hatte gegeben	gab	wird geben	würde geben	hat gegeben
wir	geben	hatten gegeben	gaben	werden geben	würden geben	haben gegeben
ihr	gebt	hattet gegeben	gabt	werdet geben	würdet geben	habt gegeben
Sie sie	geben	hatten gegeben	gaben	werden geben	würden geben	haben gegeben

🔊))) learnverbs.com

Sub.	Präsens	Plusquam-perfekt	Präteritum	Futur	Konditional	Perfekt
ich	zeige	hatte gezeigt	zeigte	werde zeigen	würde zeigen	habe gezeigt
du	zeigst	hattest gezeigt	zeigtest	wirst zeigen	würdest zeigen	hast gezeigt
er sie es	zeigt	hatte gezeigt	zeigte	wird zeigen	würde zeigen	hat gezeigt
wir	zeigen	hatten gezeigt	zeigten	werden zeigen	würden zeigen	haben gezeigt
ihr	zeigt	hattet gezeigt	zeigtet	werdet zeigen	würdet zeigen	habt gezeigt
Sie sie	zeigen	hatten gezeigt	zeigten	werden zeigen	würden zeigen	haben gezeigt

🔊))) learnverbs.com

Sub.	Präsens	Plusquam-perfekt	Präteritum	Futur	Konditional	Perfekt
ich	küsse	hatte geküßt	küßte	werde küssen	würde küssen	habe geküßt
du	küßt	hattest geküßt	küßtest	wirst küssen	würdest küssen	hast geküßt
er sie es	küßt	hatte geküßt	küßte	wird küssen	würde küssen	hat geküßt
wir	küssen	hatten geküßt	küßten	werden küssen	würden küssen	haben geküßt
ihr	küßt	hattet geküßt	küßtet	werdet küssen	würdet küssen	habt geküßt
Sie sie	küssen	hatten geküßt	küßten	werden küssen	würden küssen	haben geküßt

🔊)) learnverbs.com

Sub.	Präsens	Plusquam-perfekt	Präteritum	Futur	Konditional	Perfekt
ich	kaufe	hatte gekauft	kaufte	werde kaufen	würde kaufen	habe gekauft
du	kaufst	hattest gekauft	kauftest	wirst kaufen	würdest kaufen	hast gekauft
er sie es	kauft	hatte gekauft	kaufte	wird kaufen	würde kaufen	hat gekauft
wir	kaufen	hatten gekauft	kauften	werden kaufen	würden kaufen	haben gekauft
ihr	kauft	hattet gekauft	kauftet	werdet kaufen	würdet kaufen	habt gekauft
Sie sie	kaufen	hatten gekauft	kauften	werden kaufen	würden kaufen	haben gekauft

🔊))) learnverbs.com

Sub.	Präsens	Plusquam-perfekt	Präteritum	Futur	Konditional	Perfekt
ich	zahle	hatte gezahlt	zahlte	werde zahlen	würde zahlen	habe gezahlt
du	zahlst	hattest gezahlt	zahltest	wirst zahlen	würdest zahlen	hast gezahlt
er sie es	zahlt	hatte gezahlt	zahlte	wird zahlen	würde zahlen	hat gezahlt
wir	zahlen	hatten gezahlt	zahlten	werden zahlen	würden zahlen	haben gezahlt
ihr	zahlt	hattet gezahlt	zahltet	werdet zahlen	würdet zahlen	habt gezahlt
Sie sie	zahlen	hatten gezahlt	zahlten	werden zahlen	würden zahlen	haben gezahlt

Sub.	Präsens	Plusquam-perfekt	Präteritum	Futur	Konditional	Perfekt
ich	gehe	war gegangen	ging	werde gehen	würde gehen	bin gegangen
du	gehst	warst gegangen	gingst	wirst gehen	würdest gehen	bist gegangen
er sie es	geht	war gegangen	ging	wird gehen	würde gehen	ist gegangen
wir	gehen	waren gegangen	gingen	werden gehen	würden gehen	sind gegangen
ihr	geht	wart gegangen	gingt	werdet gehen	würdet gehen	seid gegangen
Sie sie	gehen	waren gegangen	gingen	werden gehen	würden gehen	sind gegangen

Sub.	Präsens	Plusquam-perfekt	Präteritum	Futur	Konditional	Perfekt
ich	heirate	hatte geheiratet	heiratete	werde heiraten	würde heiraten	habe geheiratet
du	heiratest	hattest geheiratet	heiratetest	wirst heiraten	würdest heiraten	hast geheiratet
er sie es	heiratet	hatte geheiratet	heiratete	wird heiraten	würde heiraten	hat geheiratet
wir	heiraten	hatten geheiratet	heirateten	werden heiraten	würden heiraten	haben geheiratet
ihr	heiratet	hattet geheiratet	heiratetet	werdet heiraten	würdet heiraten	habt geheiratet
Sie sie	heiraten	hatten geheiratet	heirateten	werden heiraten	würden heiraten	haben geheiratet

Sub.	Präsens	Plusquam-perfekt	Präteritum	Futur	Konditional	Perfekt
ich	verbiete	hatte verboten	verbot	werde verbieten	würde verbieten	habe verboten
du	verbietest	hattest verboten	verbotest	wirst verbieten	würdest verbieten	hast verboten
er sie es	verbietet	hatte verboten	verbot	wird verbieten	würde verbieten	hat verboten
wir	verbieten	hatten verboten	verboten	werden verbieten	würden verbieten	haben verboten
ihr	verbietet	hattet verboten	verbotet	werdet verbieten	würdet verbieten	habt verboten
Sie sie	verbieten	hatten verboten	verboten	werden verbieten	würden verbieten	haben verboten

🔊))) learnverbs.com

Sub.	Präsens	Plusquam-perfekt	Präteritum	Futur	Konditional	Perfekt
ich	schwimme	war geschwommen	schwamm	werde schwimmen	würde schwimmen	bin geschwommen
du	schwimmst	warst geschwommen	schwammst	wirst schwimmen	würdest schwimmen	bist geschwommen
er sie es	schwimmt	war geschwommen	schwamm	wird schwimmen	würde schwimmen	ist geschwommen
wir	schwimmen	waren geschwommen	schwammen	werden schwimmen	würden schwimmen	sind geschwommen
ihr	schwimmt	wart geschwommen	schwammt	werdet schwimmen	würdet schwimmen	seid geschwommen
Sie sie	schwimmen	waren geschwommen	schwammen	werden schwimmen	würden schwimmen	sind geschwommen

🔊))) learnverbs.com

Sub.	Präsens	Plusquam-perfekt	Präteritum	Futur	Konditional	Perfekt
ich	liebe	hatte geliebt	liebte	werde lieben	würde lieben	habe geliebt
du	liebst	hattest geliebt	liebtest	wirst lieben	würdest lieben	hast geliebt
er sie es	liebt	hatte geliebt	liebte	wird lieben	würde lieben	hat geliebt
wir	lieben	hatten geliebt	liebten	werden lieben	würden lieben	haben geliebt
ihr	liebt	hattet geliebt	liebtet	werdet lieben	würdet lieben	habt geliebt
Sie sie	lieben	hatten geliebt	liebten	werden lieben	würden lieben	haben geliebt

Sub.	Präsens	Plusquam-perfekt	Präteritum	Futur	Konditional	Perfekt
ich	springe	war gesprungen	sprang	werde springen	würde springen	bin gesprungen
du	springst	warst gesprungen	sprangst	wirst springen	würdest springen	bist gesprungen
er sie es	springt	war gesprungen	sprang	wird springen	würde springen	ist gesprungen
wir	springen	waren gesprungen	sprangen	werden springen	würden springen	sind gesprungen
ihr	springt	wart gesprungen	sprangt	werdet springen	würdet springen	seid gesprungen
Sie sie	springen	waren gesprungen	sprangen	werden springen	würden springen	sind gesprungen

🔊))) learnverbs.com

Sub.	Präsens	Plusquam-perfekt	Präteritum	Futur	Konditional	Perfekt
ich	drehe	hatte gedreht	drehte	werde drehen	würde drehen	habe gedreht
du	drehst	hattest gedreht	drehtest	wirst drehen	würdest drehen	hast gedreht
er sie es	dreht	hatte gedreht	drehte	wird drehen	würde drehen	hat gedreht
wir	drehen	hatten gedreht	drehten	werden drehen	würden drehen	haben gedreht
ihr	dreht	hattet gedreht	drehtet	werdet drehen	würdet drehen	habt gedreht
Sie sie	drehen	hatten gedreht	drehten	werden drehen	würden drehen	haben gedreht

🔊))) learnverbs.com

Sub.	Präsens	Plusquam-perfekt	Präteritum	Futur	Konditional	Perfekt
ich	bewache	hatte bewacht	bewachte	werde bewachen	würde bewachen	habe bewacht
du	bewachst	hattest bewacht	bewachtest	wirst bewachen	würdest bewachen	hast bewacht
er sie es	bewacht	hatte bewacht	bewachte	wird bewachen	würde bewachen	hat bewacht
wir	bewachen	hatten bewacht	bewachten	werden bewachen	würden bewachen	haben bewacht
ihr	bewacht	hattet bewacht	bewachtet	werdet bewachen	würdet bewachen	habt bewacht
Sie sie	bewachen	hatten bewacht	bewachten	werden bewachen	würden bewachen	haben bewacht

🔊))) learnverbs.com

Sub.	Präsens	Plusquam-perfekt	Präteritum	Futur	Konditional	Perfekt
ich	kehre zurück	war zurückgekehrt	kehrte zurück	werde zurückkehren	würde zurückkehren	bin zurückgekehrt
du	kehrst zurück	warst zurückgekehrt	kehrtest zurück	wirst zurückkehren	würdest zurückkehren	bist zurückgekehrt
er sie es	kehrt zurück	war zurückgekehrt	kehrte zurück	wird zurückkehren	würde zurückkehren	ist zurückgekehrt
wir	kehren zurück	waren zurückgekehrt	kehrten zurück	werden zurückkehren	würden zurückkehren	sind zurückgekehrt
ihr	kehrt zurück	wart zurückgekehrt	kehrtet zurück	werdet zurückkehren	würdet zurückkehren	seid zurückgekehrt
Sie sie	kehren zurück	waren zurückgekehrt	kehrten zurück	werden zurückkehren	würden zurückkehren	sind zurückgekehrt

🔊))) learnverbs.com

Sub.	Präsens	Plusquam-perfekt	Präteritum	Futur	Konditional	Perfekt
ich	gehe	war gegangen	ging	werde gehen	würde gehen	bin gegangen
du	gehst	warst gegangen	gingst	wirst gehen	würdest gehen	bist gegangen
er sie es	geht	war gegangen	ging	wird gehen	würde gehen	ist gegangen
wir	gehen	waren gegangen	gingen	werden gehen	würden gehen	sind gegangen
ihr	geht	wart gegangen	gingt	werdet gehen	würdet gehen	seid gegangen
Sie sie	gehen	waren gegangen	gingen	werden gehen	würden gehen	sind gegangen

🔊))) learnverbs.com

Sub.	Präsens	Plusquam-perfekt	Präteritum	Futur	Konditional	Perfekt
ich	bitte	hatte gebeten	bat	werde bitten	würde bitten	habe gebeten
du	bittest	hattest gebeten	batest	wirst bitten	würdest bitten	hast gebeten
er sie es	bittet	hatte gebeten	bat	wird bitten	würde bitten	hat gebeten
wir	bitten	hatten gebeten	baten	werden bitten	würden bitten	haben gebeten
ihr	bittet	hatten gebeten	batet	werdet bitten	würdet bitten	habt gebeten
Sie sie	bitten	hatten gebeten	baten	werden bitten	würden bitten	haben gebeten

Sub.	Präsens	Plusquam-perfekt	Präteritum	Futur	Konditional	Perfekt
ich	trete ein	war eingetreten	trat ein	werde eintreten	würde eintreten	bin eingetreten
du	trittst ein	warst eingetreten	trat(e)st ein	wirst eintreten	würdest eintreten	bist eingetreten
er sie es	tritt ein	war eingetreten	trat ein	wird eintreten	würde eintreten	ist eingetreten
wir	treten ein	waren eingetreten	traten ein	werden eintreten	würden eintreten	sind eingetreten
ihr	tretet ein	wart eingetreten	tratet ein	werdet eintreten	würdet eintreten	seid eingetreten
Sie sie	treten ein	waren eingetreten	traten ein	werden eintreten	würden eintreten	sind eingetreten

🔊))) learnverbs.com

Sub.	Präsens	Plusquam-perfekt	Präteritum	Futur	Konditional	Perfekt
ich	rufe	hatte gerufen	rief	werde rufen	würde rufen	habe gerufen
du	rufst	hattest gerufen	riefst	wirst rufen	würdest rufen	hast gerufen
er sie es	ruft	hatte gerufen	rief	wird rufen	würde rufen	hat gerufen
wir	rufen	hatten gerufen	riefen	werden rufen	würden rufen	haben gerufen
ihr	ruft	hattet gerufen	rieft	werdet rufen	würdet rufen	habt gerufen
Sie sie	rufen	hatten gerufen	riefen	werden rufen	würden rufen	haben gerufen

Gaeñes

🔊))) learnverbs.com

Sub.	Präsens	Plusquam-perfekt	Präteritum	Futur	Konditional	Perfekt
ich	komme	war gekommen	kam	werde kommen	würde kommen	bin gekommen
du	kommst	warst gekommen	kamst	wirst kommen	würdest kommen	bist gekommen
er sie es	kommt	war gekommen	kam	wird kommen	würde kommen	ist gekommen
wir	kommen	waren gekommen	kamen	werden kommen	würden kommen	sind gekommen
ihr	kommt	wart gekommen	kamt	werdet kommen	würdet kommen	seid gekommen
Sie sie	kommen	waren gekommen	kamen	werden kommen	würden kommen	sind gekommen

Sub.	Präsens	Plusquam-perfekt	Präteritum	Futur	Konditional	Perfekt
ich	folge	war gefolgt	folgte	werde folgen	würde folgen	bin gefolgt
du	folgst	warst gefolgt	folgtest	wirst folgen	würdest folgen	bist gefolgt
er sie es	folgt	war gefolgt	folgte	wird folgen	würde folgen	ist gefolgt
wir	folgen	waren gefolgt	folgten	werden folgen	würden folgen	sind gefolgt
ihr	folgt	wart gefolgt	folgtet	werdet folgen	würdet folgen	seid gefolgt
Sie sie	folgen	waren gefolgt	folgten	werden folgen	würden folgen	sind gefolgt

Sub.	Präsens	Plusquam-perfekt	Präteritum	Futur	Konditional	Perfekt
ich	verhafte	hatte verhaftet	verhaftete	werde verhaften	würde verhaften	habe verhaftet
du	verhaftest	hattest verhaftet	verhaftetest	wirst verhaften	würdest verhaften	hast verhaftet
er sie es	verhaftet	hatte verhaftet	verhaftete	wird verhaften	würde verhaften	hat verhaftet
wir	verhaften	hatten verhaftet	verhafteten	werden verhaften	würden verhaften	haben verhaftet
ihr	verhaftet	hattet verhaftet	verhaftetet	werdet verhaften	würdet verhaften	habt verhaftet
Sie sie	verhaften	hatten verhaftet	verhafteten	werden verhaften	würden verhaften	haben verhaftet

🔊))) learnverbs.com

Sub.	Präsens	Plusquam-perfekt	Präteritum	Futur	Konditional	Perfekt
ich	warte	hatte gewartet	wartete	werde warten	würde warten	habe gewartet
du	wartest	hattest gewartet	wartetest	wirst warten	würdest warten	hast gewartet
er sie es	wartet	hatte gewartet	wartete	wird warten	würde warten	hat gewartet
wir	warten	hatten gewartet	warteten	werden warten	würden warten	haben gewartet
ihr	wartet	hattet gewartet	wartetet	werdet warten	würdet warten	habt gewartet
Sie sie	warten	hatten gewartet	warteten	werden warten	würden warten	haben gewartet

🔊))) learnverbs.com

Sub.	Präsens	Plusquam-perfekt	Präteritum	Futur	Konditional	Perfekt
ich	winke	hatte gewinkt	winkte	werde winken	würde winken	habe gewinkt
du	winkst	hattest gewinkt	winktest	wirst winken	würdest winken	hast gewinkt
er sie es	winkt	hatte gewinkt	winkte	wird winken	würde winken	hat gewinkt
wir	winken	hatten gewinkt	winkten	werden winken	würden winken	haben gewinkt
ihr	winkt	hattet gewinkt	winktet	werdet winken	würdet winken	habt gewinkt
Sie sie	winken	hatten gewinkt	winkten	werden winken	würden winken	haben gewinkt

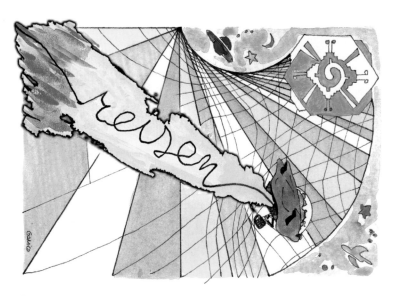

🔊))) learnverbs.com

Sub.	Präsens	Plusquam-perfekt	Präteritum	Futur	Konditional	Perfekt
ich	reise	war gereist	reiste	werde reisen	würde reisen	bin gereist
du	reist	warst gereist	reistest	wirst reisen	würdest reisen	bist gereist
er sie es	reist	war gereist	reiste	wird reisen	würde reisen	ist gereist
wir	reisen	waren gereist	reisten	werden reisen	würden reisen	sind gereist
ihr	reist	wart gereist	reistet	werdet reisen	würdet reisen	seid gereist
Sie sie	reisen	waren gereist	reisten	werden reisen	würden reisen	sind gereist

🔊))) learnverbs.com

Sub.	Präsens	Plusquam-perfekt	Präteritum	Futur	Konditional	Perfekt
ich	pralle auf	war aufgeprallt	prallte auf	werde aufprallen	würde aufprallen	bin aufgeprallt
du	prallst auf	warst aufgeprallt	pralltest auf	wirst aufprallen	würdest aufprallen	bist aufgeprallt
er sie es	prallt auf	war aufgeprallt	prallte auf	wird aufprallen	würde aufprallen	ist aufgeprallt
wir	prallen auf	waren aufgeprallt	prallten auf	werden aufprallen	würden aufprallen	sind aufgeprallt
ihr	prallt auf	wart aufgeprallt	pralltet auf	werdet aufprallen	würdet aufprallen	seid aufgeprallt
Sie sie	prallen auf	waren aufgeprallt	prallten auf	werden aufprallen	würden aufprallen	sind aufgeprallt

Sub.	Präsens	Plusquam-perfekt	Präteritum	Futur	Konditional	Perfekt
ich	repariere	hatte repariert	reparierte	werde reparieren	würde reparieren	habe repariert
du	reparierst	hattest repariert	repariertest	wirst reparieren	würdest reparieren	hast repariert
er sie es	repariert	hatte repariert	reparierte	wird reparieren	würde reparieren	hat repariert
wir	reparieren	hatten repariert	reparierten	werden reparieren	würden reparieren	haben repariert
ihr	repariert	hattet repariert	repariertet	werdet reparieren	würdet reparieren	habt repariert
Sie sie	reparieren	hatten repariert	reparierten	werden reparieren	würden reparieren	haben repariert

🔊))) learnverbs.com

Sub.	Präsens	Plusquam-perfekt	Präteritum	Futur	Konditional	Perfekt
ich	schweige	hatte geschwiegen	schwieg	werde schweigen	würde schweigen	habe geschwiegen
du	schweigst	hattest geschwiegen	schwiegst	wirst schweigen	würdest schweigen	hast geschwiegen
er sie es	schweigt	hatte geschwiegen	schwieg	wird schweigen	würde schweigen	hat geschwiegen
wir	schweigen	hatten geschwiegen	schwiegen	werden schweigen	würden schweigen	haben geschwiegen
ihr	schweigt	hattet geschwiegen	schwiegt	werdet schweigen	würdet schweigen	habt geschwiegen
Sie sie	schweigen	hatten geschwiegen	schwiegen	werden schweigen	würden schweigen	haben geschwiegen

Sub.	Präsens	Plusquam-perfekt	Präteritum	Futur	Konditional	Perfekt
ich	zünde an	hatte angezündet	zündete an	werde anzünden	würde anzünden	habe angezündet
du	zündest an	hattest angezündet	zündetest an	wirst anzünden	würdest anzünden	hast angezündet
er sie es	zündet an	hatte angezündet	zündete an	wird anzünden	würde anzünden	hat angezündet
wir	zünden an	hatten angezündet	zündeten an	werden anzünden	würden anzünden	haben angezündet
ihr	zündet an	hattet angezündet	zündetet an	werdet anzünden	würdet anzünden	habt angezündet
Sie sie	zünden an	hatten angezündet	zündeten an	werden anzünden	würden anzünden	haben angezündet

🔊 learnverbs.com

Sub.	Präsens	Plusquam-perfekt	Präteritum	Futur	Konditional	Perfekt
ich	nehme mit	hatte mitgenommen	nahm mit	werde mitnehmen	würde mitnehmen	habe mitgenommen
du	nimmst mit	hattest mitgenommen	nahmst mit	wirst mitnehmen	würdest mitnehmen	hast mitgenommen
er sie es	nimmt mit	hatte mitgenommen	nahm mit	wird mitnehmen	würde mitnehmen	hat mitgenommen
wir	nehmen mit	hatten mitgenommen	nahmen mit	werden mitnehmen	würden mitnehmen	haben mitgenommen
ihr	nehmt mit	hattet mitgenommen	nahmt mit	werdet mitnehmen	würdet mitnehmen	habt mitgenommen
Sie sie	nehmen mit	hatten mitgenommen	nahmen mit	werden mitnehmen	würden mitnehmen	haben mitgenommen

🔊))) learnverbs.com

Sub.	Präsens	Plusquam-perfekt	Präteritum	Futur	Konditional	Perfekt
ich	schneide	hatte geschnitten	schnitt	werde schneiden	würde schneiden	habe geschnitten
du	schneidest	hattest geschnitten	schnittest	wirst schneiden	würdest schneiden	hast geschnitten
er sie es	schneidet	hatte geschnitten	schnitt	wird schneiden	würde schneiden	hat geschnitten
wir	schneiden	hatten geschnitten	schnitten	werden schneiden	würden schneiden	haben geschnitten
ihr	schneidet	hattet geschnitten	schnittet	werdet schneiden	würdet schneiden	habt geschnitten
Sie sie	schneiden	hatten geschnitten	schnitten	werden schneiden	würden schneiden	haben geschnitten

🔊 learnverbs.com

Sub.	Präsens	Plusquam-perfekt	Präteritum	Futur	Konditional	Perfekt
ich	mache	hatte gemacht	machte	werde machen	würde machen	habe gemacht
du	machst	hattest gemacht	machtest	wirst machen	würdest machen	hast gemacht
er sie es	macht	hatte gemacht	machte	wird machen	würde machen	hat gemacht
wir	machen	hatten gemacht	machten	werden machen	würden machen	haben gemacht
ihr	macht	hattet gemacht	machtet	werdet machen	würdet machen	habt gemacht
Sie sie	machen	hatten gemacht	machten	werden machen	würden machen	haben gemacht

🔊))) learnverbs.com

Sub.	Präsens	Plusquamperfekt	Präteritum	Futur	Konditional	Perfekt
ich	nehme auf	hatte aufgenommen	nahm auf	werde aufnehmen	würde aufnehmen	habe aufgenommen
du	nimmst auf	hattest aufgenommen	nahmst auf	wirst aufnehmen	würdest aufnehmen	hast aufgenommen
er sie es	nimmt auf	hatte aufgenommen	nahm auf	wird aufnehmen	würde aufnehmen	hat aufgenommen
wir	nehmen auf	hatten aufgenommen	nahmen auf	werden aufnehmen	würden aufnehmen	haben aufgenommen
ihr	nehmt auf	hattet aufgenommen	nahmt auf	werdet aufnehmen	würdet aufnehmen	habt aufgenommen
Sie sie	nehmen auf	hatten aufgenommen	nahmen auf	werden aufnehmen	würden aufnehmen	haben aufgenommen

🔊 learnverbs.com

Sub.	Präsens	Plusquam-perfekt	Präteritum	Futur	Konditional	Perfekt
ich	esse	hatte gegessen	aß	werde essen	würde essen	habe gegessen
du	ißt	hattest gegessen	aßest	wirst essen	würdest essen	hast gegessen
er sie es	ißt	hatte gegessen	aß	wird essen	würde essen	hat gegessen
wir	essen	hatten gegessen	aßen	werden essen	würden essen	haben gegessen
ihr	eßt	hattet gegessen	aßt	werdet essen	würdet essen	habt gegeßen
Sie sie	essen	hatten gegessen	aßen	werden essen	würden essen	haben gegessen

🔊))) learnverbs.com

Sub.	Präsens	Plusquam-perfekt	Präteritum	Futur	Konditional	Perfekt
ich	spaziere	war spaziert	spazierte	werde spazieren	würde spazieren	bin spaziert
du	spazierst	warst spaziert	spaziertest	wirst spazieren	würdest spazieren	bist spaziert
er sie es	spaziert	war spaziert	spazierte	wird spazieren	würde spazieren	ist spaziert
wir	spazieren	waren spaziert	spazierten	werden spazieren	würden spazieren	sind spaziert
ihr	spaziert	wart spaziert	spaziertet	werdet spazieren	würdet spazieren	seid spaziert
Sie sie	spazieren	waren spaziert	spazierten	werden spazieren	würden spazieren	sind spaziert

🔊))) learnverbs.com

Sub.	Präsens	Plusquam-perfekt	Präteritum	Futur	Konditional	Perfekt
ich	bin	war gewesen	war	werde sein	würde sein	bin gewesen
du	bist	warst gewesen	warst	wirst sein	würdest sein	bist gewesen
er sie es	ist	war gewesen	war	wird sein	würde sein	ist gewesen
wir	sind	waren gewesen	waren	werden sein	würden sein	sind gewesen
ihr	seid	wart gewesen	wart	werdet sein	würdet sein	seid gewesen
Sie sie	sind	waren gewesen	waren	werden sein	würden sein	sind gewesen

🔊))) learnverbs.com

Sub.	Präsens	Plusquam-perfekt	Präteritum	Futur	Konditional	Perfekt
ich	stoppe	hatte gestoppt	stoppte	werde stoppen	würde stoppen	habe gestoppt
du	stoppst	hattest gestoppt	stopptest	wirst stoppen	würdest stoppen	hast gestoppte
er sie es	stoppt	hatte gestoppt	stoppte	wird stoppen	würde stoppen	hat gestoppt
wir	stoppen	hatten gestoppt	stoppten	werden stoppen	würden stoppen	haben gestoppt
ihr	stoppt	hattet gestoppt	stopptet	werdet stoppen	würdet stoppen	habt gestoppt
Sie sie	stoppen	hatten gestoppt	stoppten	werden stoppen	würden stoppen	haben gestoppt

Index

Index

Picture Challenge

1. Who is the lion trying to protect on page 98?
2. What is the occupation of the man who sits on the chair on page 2?
3. What is the dog's name?
4. What happens to the gambler later on in the book after he loses all his money?
5. Where does the man get the flowers from on page 66?
6. How does the teacher know the student is lying on page 56?
7. What did the artist forget to draw on page 81?
8. What is different about the woman on page 64?
9. How many times does the thief appear in this book?

Test Visual

1. ¿A quién intenta proteger el león de la página 98?
2. ¿A qué se dedica el hombre sentado en la silla de la página 2?
3. ¿Cómo se llama el perro?
4. ¿Qué le ocurre al jugador cuando pierde todo su dinero?
5. ¿De dónde saca el hombre de la página 66 las flores?
6. ¿Cómo sabe el profesor de la página 56 que el alumno le está mintiendo?
7. ¿Qué olvidó dibujar el artista de la página 81?
8. ¿Qué hay de extraño en la mujer de la página 64?
9. ¿Cuantas veces aparece el ladrón en este libro?

Acknowledgements

Julian Wilkins, Xavier Ortiz, Olivia Branco, Barnaby Irving, Tristan Phipps, Ana Lucia Umpierre Leite, Marcela Slade (Book Cover Design), Jody Deane, Ina Wolbers, Nia, Natalia, Marta Lamolla, Joachim von Hülsen, Betty (the French girl), Pru and Chatter.

Rosamund Place, Jane Gaggero, Jeanie Eldon (Catalan teacher.)

Chris Ryland (*emsoftware*) For Xdata.

Special thanks to Dr. Josep-Lluís González Medina who not only reviewed the book but gave valuable feedback on the 1st edition so that the 2nd edition could be perfected. I would also like to thank the four students (also from Eton) for their constuctive feedback which helped with the last minute changes - Freddie Caldecott, Adeola Afolami, Charlie Donaldson and George Prior-Palmer.

Sue Tricio, Suzi Turner, Mrs K Merino, Maggie Bowen, Karen Brooks, Susana Boniface, Sandra Brown Hart, Mrs. R. Place, Mrs. A. Coles, Lynda McTier, Christine Ransome, Ann Marie Butemann, Paul Delaney, Mrs. Eames, Mrs. G. Bartolome, Dr. Marianne Ofner, Gail Bruce, Janet R. Holland, Cheryl Smedley, Mrs. C. Quirk, Will Fergie, Alice Dobson, Tamara Oughtred, Cathy Yates, Tessa Judkins, Andy Lowe, Andrea White and Kant Mann.

Thanks Fran for your talent, enthusiasm and professionalism, you're a great artist!!!

About the Author

Rory Ryder created the idea and concept of *Learn 101 Verbs in 1 Day* after finding most verb books time consuming and outdated. Most of the people he spoke to, found it very frustrating trying to remember the verbs and conjugations simply by repetition. He decided to develop a book that makes it easy to remember the key verbs and conjugations but which is also fun and very simple to use. Inspired by Barcelona, where he now lives, he spends the majority of his time working on new and innovative ideas.

Sobre el Autor

Rory Ryder ideó la colección *Aprende 101 verbos en 1 día* tras descubrir que la mayoría de gramáticas basaban el aprendizaje de los verbos y sus conjugaciones en la repetición constante de estructuras. Un enfoque anticuado que exige un gran esfuerzo al alumno, provocando muchas veces su desinterés. Este método convierte al lector en sujeto activo, haciendo del estudio verbal una actividad fácil, agradable y amena. Una concepción creativa e innovadora, inspirada en Barcelona, ciudad donde reside actualmente.

Other Tsunami Systems Books
Otros títulos de Tsunami Systems

Learn 101 Verbs in 1 Day Series

Learn 101 Catalan Verbs in 1 Day	-	ISBN 84-609-5468-4
Learn 101 English Verbs in 1 Day	-	ISBN 84-609-4541-3
Learn 101 French Verbs in 1 Day	-	ISBN 84-609-4545-6
Learn 101 German Verbs in 1 Day	-	ISBN 84-609-4537-5
Learn 101 Italian Verbs in 1 Day	-	ISBN 84-609-4540-5
Learn 101 Portuguese Verbs in 1 Day	-	ISBN 84-609-4543-X
Learn 101 Spanish Verbs in 1 Day	-	ISBN 84-609-4539-1
Learn 101 Spanish Verbs in 1 Day (large format)	-	ISBN 84-607-9637-X
Learn 101 Phrasal Verbs in 1 Day	-	ISBN 84-609-5469-2

Aprende en 1 Día 101 Verbos

Aprende en 1 Día 101 Verbos en Alemán	-	ISBN 84-609-5463-3
Aprende en 1 Día 101 Verbos en Catalán	-	ISBN 84-609-4547-2
Aprende en 1 Día 101 Verbos en Español	-	ISBN 84-609-5466-8
Aprende en 1 Día 101 Verbos en Francés	-	ISBN 84-609-4549-9
Aprende en 1 Día 101 Verbos en Inglés	-	ISBN 84-609-4552-9
Aprende en 1 Día 101 Verbos en Italiano	-	ISBN 84-609-5467-6
Aprende en 1 Día 101 Verbos en Portugués	-	ISBN 84-609-5465-X
Aprende en 1 Día 101 *Phrasal Verbs* en Inglés	-	ISBN 84-609-4548-0